www.einaudi.it

ISBN 978-88-06-16840-7

Mariangela Gualtieri

SENZA POLVERE SENZA PESO

Giulio Einaudi editore

SENZA POLVERE SENZA PESO

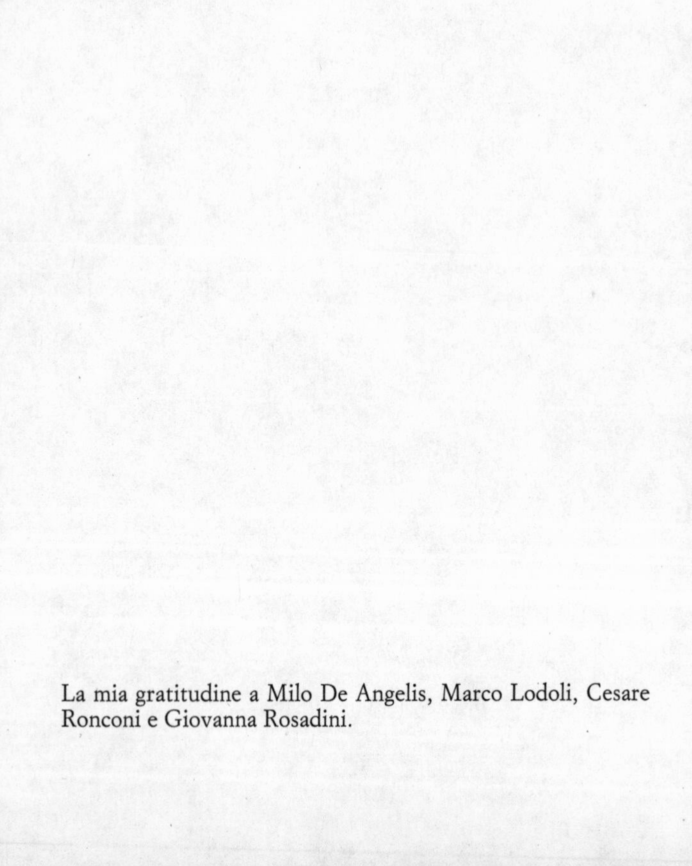

La mia gratitudine a Milo De Angelis, Marco Lodoli, Cesare Ronconi e Giovanna Rosadini.

Le navi

Salento, estate 1994

Guardo da basso le navi
uno spargimento di luce
slarga la visione all'occhio.
Sorgono altre navi lontano
cariche di doni. Siamo affacciati
sul palpito di scogli sulle pendici
estreme della terra. Di là raccolgono
coralli e perle, invocano divinità
femmina e spargono fiori.
Dentro imperi di nettare e sapienza
cadiamo a picco.
Soave ancora, soave e piano
tutto il cielo va al chiaro.

Volevo uccidere il serpente
mi ha fermato la mano uno stupore
di lingua levata come un'offesa.
È caduta la pietra rotolando
sul mio passo all'indietro
tutto il cielo ha corso piú forte.

Negoziavano il marcio dell'impero
dicevano parole ghiaccianti. Si poteva solo
stare lí. Nel piccolo incubo o nell'incubo vero.
Stare chiusi al sangue, non volare.

Allora il mondo è tutto carbone e cenere
i miei tegami non servono alla fame.

Un frutto è sempre un bacio dentro l'altare del seme
e giugno ride e ride. Piú di febbraio e maggio
si fa sostanza. Per questo il ramo ha dormito.

Tu manchi da questa camera e le cose non chiamano, oggi. Ho deciso che il tempo non passi. In tuo onore. Che non passi di qui e si fermi di sotto – dove gli uomini chiacchierano seduti barbaramente. Amore mio.

Appresso a voi che del cielo siete un popolo e il nero
si staglia. Tutte come un movimento per
le direzioni chiare della sera. Adesso le voci piú rade
delle rondini fanno largo alla luna. Il sole è andato.
Nessun desiderio. Vedo le cupole a smalti colorati e
le campane. Le donne parlano forte nelle gole dei vicoli.

Silenzio che nutre

inverno 1997

Tu vieni nella grave notte
e mi butti dentro l'abbraccio
dove tocco le cose invisibili,
hai cinque o sei lunghi capelli
attaccati alla nuca
e sono il segnale del luogo strano
dal quale provieni.
Tu manchi, caro babbo
e nel sonno il mio pianto
dentro quel lungo abbraccio
il mio piangere era viva
percossa, un dolore piú amabile
del passo regolare del mese
che non scuote non gela
non fa capriole, non spazza
sul fondo, non mi espone mai.
Grazie di questo piangere
senza il quale sarei una cosa secca,
immota.

Quanta stranezza sul davanzale
e ai piedi del letto.
Allora dicevo: apparite! dite! fate il canto.
Ma solo si alzava un odore come di neve
e la casa era sotto la legge
del grande nitore.
Come si stava bene.

a Giovanna Sicari

Ora il gettito sborda da fondo cuore
e chiama forte che il fondo trema
e allora si posa la mano sul foglio
e dentro si forma un inchino
che la testa tagliata nel suo brulichio
ride quel riso
del demente bambino e ode
un tutto incompreso che calma
si accuccia nel calmo e guarisce
guarisce d'un alto guarire
scompare nello scomparire
e resta in quel pane
accolta, raccolta – lí resta.

Eccomi. Adesso la città sta piú ferma
e anch'io sono in pace.
Nel suo essere sera con
ciondoli e accanto accanto
l'erba stesa. Oh! erba stesa, tu
la distesa, la forte, l'accogliente erba
che s'inchina, dice mare e vento
e altre parole che noi non udiamo
calpestando. Erba grande
che fai del crescere cosa semplice e
larga, scrivi ovunque il tuo nome
di steli e stai consolata,
e insegni una legge
disgiunta, e reciti il mantra del mondo.

Creatura folta, sempre inginocchiata
a rendere altare la crepa
e il bordo del marciapiede.
Enigma del tuo essere ovunque
cresciuta.

Sorge in me il mio scomparire,
è accolta la sconosciuta
nascita che sempre permane
nel nascere ora. Amore.
Si manifesta nelle sue potenze alte.
Capisco.
Tremo capisco. Sono confortata.
Schiantata nel ramo una paura,
quella preoccupazione del giorno.
Come tutto ammaestra
nella meraviglia.
Come è puerile. Come sto bene che
cresce un bene un sigillo
della persona che non si scancella
e col soffio s'accresce.
È il dono che stava e che sgorga
ora, la goccia espansiva
piccola pozza affiorante.
Sono alla terra umida.
Sono che quasi viene da sé
la mia acqua sigillo, mio fiotto
di creatura. Venite in nascita dentro
tutte cose dei mondi. Sbalordite questo
tutto finito del corpo in un parto
perenne, nel rinascere qui che io
mi sostanzio andandomi via.
Scomparsa di tutte le finte radici
le qualità finte, le bugie mammifere.
È solstizio
col giorno in allargatura di luce.

L'acqua è una sola nei luoghi
sparsi delle città o della
terra. Una è la fiamma.
Uno il respiro – uno il ritorno
una la foglia di foglie,
uno il pensiero, una è la
paura che dentro la macchina
fa fare l'urlo alla ragazza,
che fa fare lo sbaglio. E uno il sangue
che adesso compie le ere. Allora uno è
il bambino con tutti i nomi
coi piedini nel crescere fino
alla scarpa fino al pedale
fino alla corsa nel campo
quando il grano ha finito.

Con domande chiuse nel collo
in un luogo senza ore.
Disteso, dentro un grumo di vita,
forato nel suo bene, quasi tondo nel suo
galleggiare alla vita, buttarsi in lungo e
in largo per quello scopo umano.
C'è troppo corpo, è troppo nel sangue.
Non conosce la strada che smargina
il colore dell'assenza
dove cerchio nel cerchio il dormire
è un intenso, una pista.

Foglia Che Parla

«Un eterno
mi ha condotta
in un sogno appannato
portava un verde una linfa
a darmi da bere. C'è un respiro
immobile, un battito cosí rado
da nascondere il ritmo
c'è sempre un ritorno quando cado
e scompaio. C'è un odore. Un darsi
fuori e poi giú. Io sono
l'estremo la parte piú esposta
la voce sono la danza.

Dove si chiede un'ala
per uscire dal fisso del tronco
io nasco».

Voci tempestate

1999/2000

Un avamposto di pietra
m'era cresciuto nel petto come
dolore di un altro che s'infila
e forma uncino e piccagli.
Io non so cosa sia questa
di colpo nostalgia
questo pezzo mancante
che mi reclama a sé
da un umano piangere per niente
e non avere dove
posare il capo.

Diceva
ch'era sparito tutto a quei tempi
e i sogni non venivano piú.
L'inverno era un castigo feroce
che strappava i bambini.
La risposta tardò
fino alle spore conficcate nei chicchi
fino a tutte le sponde,
poi un nome si rivolse in crescita alle ere
un nome inforcò la via
della stirpe del sale.

È terra la sostanza del mio dire
è terra di quella calpestata
è terra secca spaccata nel suo buco
è terra conquistata da una terra
invisibile che fa impasto d'amore.

Avessi l'arte di scomparire
avessi l'arte di sminuirmi fino
allo stuoino sulla porta d'entrata
avessi quel largo di porta spalancata
avessi quel largo delle pianure
che accolgono il viandante
senza lamentele.

Avessi la pietà, avessi l'inchino
del palmizio e del fiore.

Ma tutti i santi del paradiso tutte
le fulgide divinità d'oriente
tutti i trentadue savi
si nascondono nelle mie nicchie
si sfaccendano ammutoliti
nel mio sangue,
si distraggono dal mio bussare spazientito
inciampandomi, annodandomi,
spettinandomi.

Avete silenzi per me,
avete cavità di silenzio cosí spaventose
avete la durata d'un silenzio dispettoso
spaventoso e dispettoso che io
cavalco in lungo e in largo

scolorita da tanto vostro tacere
atterrita e scolorita da tanto vostro tacere.

Eppure girovagate nel mio sangue
spadroneggiate nel mio assopito sangue
col vostro assillo mattiniero
col vostro assillo pomeridiano con le
campane che mi suonate la notte
con le vostre campane di silenzio
che mi perforano.

Dormitemi pure dentro, con le
barbe immense, bastone,
tazza, sandalo impolverato,
vostri nomi scomparsi da tutte
le biblioteche, vostri
abbeveratoi, vostra probabile
luce. Dormitemi. Sognatemi.

E venga il sogno africano
quando le palme
e tutti i cammelli e
le lavandaie sul fiume
sostano.

E i fiori mi mancavano mi mancavano
con quel loro sbirciare dal punto
d'oltretomba.

C'è un sereno messo dentro il fiore
senza lottatori senza museruola
e cinghie di cani e per questo
volendolo molto scorgiamo le punte
estreme del paradiso
che ci disnebbia a volte
per un intero mattino.

Accanto a questa mano ci sono
considerevoli silenzi del primo mattino
e i morti li sentiamo
nella camera coi loro cartocci
di cenere. Accanto a questa mano
a questo corpo alla testa reclina sul foglio
accanto o sopra o sotto e forse dentro
il nottambulo respiro
stanno nell'incantamento
i nostri cari con tutte le uova in covatura
con mandorle sugli occhi e
mani secche secche come stecchi
dell'inverno.

Sinuoso è il respiro del mare
retto il volo dell'uccello marino
spianate le armate di scogli
e tutta una geometria di grani
fa spiaggia fa muraglia
fa orma d'uomo e di cane.
Galleggiamo qui come spadaccini
al rallentatore entriamo
in tutti i bar della riviera
ma è sete decennale che ci arde
è il rombo di tutte le acque.

Sento le canoniche ore le canoniche
mezze ore sbattermi ai piedi coi
loro cocci minuti.

Che cosa ci vuole per schiacciare
tutte le orchesse e le diavolesse
che da sotto terra
afferrano le nostre caviglie
con cinghie di ferro
e fanno di noi solo peso.

a Cesare

«Tu sei il mio migliore amico
il piú alto guru
e il mio signore sovrano».
(*rito nuziale indú: recitativo della sposa*)

Un capocannoniere non è abbastanza
per me.
Ci vuole il tuo cuore tempestato
il tuo cuore di marinaio
scapestrato, e la tua radio ricevente
che mi porta per i mari del mondo
fino alla cina fino a tutto
l'oriente che lo sai, è il mio punto
d'appoggio principale.

Io non so districarmi fra quel tuo essere
bussola e uragano
e dal mio silenzio ti chiamo
a salvarmi col tuo magnetismo terrestre
a salvarmi a legarmi
quando il fondale mostra
i turchesi e mi chiama.

Tu allora vieni indicando
una scia di delfini
mi metti in mano il pane
che getterò sull'acqua
issi la randa e il fiocco
e inseguiamo la gioia
con un sole alle spalle
e un sole avanti
che ancora non vediamo.

Ho la parola amore per te
la lavo ogni mattino dal salmastro
la impasto col mio grano
la essicco dal suo molle
scortico via tutto il rosa
e sono io la tua sposa marina
mio cuore capitano.

Mare, sono io la tua madre oggi, e tu – figlio mio largo e solcato – capriccioso bambino di sale – quanto ti amo – io.

Inquieta andavo all'abetaia a portare il mio solito peso, e dopo la salita furibonda, dentro un riposo di scaricatore che ha finito, coccolata dalle antiche cime, non ero piú in quel grumo inquieto, non ero piú la donna stanca che era salita. Stare vicina a voi che siete in altezza di contemplazione, forzuti abeti – mistici e immensi – vi onora oggi il mio respiro che ringrazia.

Oggi sentiamo il suo furioso pistone
che ora inventa l'autunno
e schianta tutte le foglie
e l'ordine sigilla di dare inizio
ai letarghi.

Oggi sentiamo il suo carico dolce
che un poco ustiona e un po' canta
indolora innamora
e asseconda la danza battente
di tutto il sangue.

La neve arriva spezzettata
nella sua luce tagliente
come dono in semina
arriva sparpagliata
sua legge è la gioia
una gioia silente che tesse
mantelli e diademi
alle brutte città d'occidente.

Bambina di pane
acrobatica e pia
sempre.

a Taniú

Non credere che il mio mantello
sia inceppato, che il suo bordo
con porpora di stelle sia truccato,
che se non volo adesso sia
per castigo dell'orco che spadrona.
E se mi vedi china non sarà mai
per guadagno
non sarà per paura o per vergogna
se quel leggero d'infanzia s'impantana
con la lumaca e con l'atletico rospo.

Nel tuo volare alto ti seguirò
mia zarina dinamitarda che spandi
un colore allegro e pezzetti di brace
in questo cielo randagio che ci ama
proprio cosí, felici come siamo
certe volte io e te
nel nostro canto sbandato di orfanine.

Anche il mare abbiamo anche
le colline, anche i gatti e il cane
abbiamo, anche l'arancione e il rosa
anche la parola della fiaba e quella turchina
della tua preghiera che dal lenzuolo sfreccia
e attraversa l'orbita rotante della sera
fino ai cherubini in attesa.

Cresci santa, mia cavallerizza,
cresci un po' indiavolata
per la gran cavalcata nei cieli d'oro
d'oriente. Buonanotte bambina.

Se è ancora qui
è per tornare a casa
al punto giusto della luce, né dopo, né
prima. Se è qui in questa agonia di
piaghe da decubito, in questo tempo
sempre che non passa non
ti intrattiene, se chiama aiuto
e scambia vivi e morti
se il suo occhio è lontano
e la sua mano uno sterpo

quando sorride questa mia figlia vecchia
è un tale strepito assolato una immensa
festa di rami di ciliegio e penso che
è per me, anche, questo suo andare
al rallentatore dentro la morte,
suo lento scavalcare lo spavento
di tutto il buio.

Adesso fa notte – fa preghiera.
Apre le serrature del silenzio
fa apparire la mappa siderale
e ci inginocchia per quello spazio immenso
fra qui e l'orlo
del cominciamento
quando le spine dorsali
stanno tutte stese.

Fuori da questo corpo, da questa
finestra avvelenata fronteggiano
quel loro destino zingaresco le mie
passite ore.

La superbia di tutta la specie
fa catastrofe. Noi siamo qui, con un
amore avvoltolato nel panno, e non
sappiamo dove sbatterlo giú, a chi
darlo in consegna.

La Terra ha davvero pascoli tanto belli
da qualche parte. C'è davvero il Gange
da qualche parte.

Neretva – tu sei una vispa ragazza
tutta di sponda e d'acqua
nel mio cuore che non dimentica.
Sei una forte corsa precipitata
in tutte le bellezze del mattino.
Acqua trionfante
faccia bella dentro una faccia
guerreggiata, tu atletica scapestrata
corri fra le ferite di tutti i morti
rilanciando i dadi della gioia.

Perché credo ancora nel segreto
ficcato dentro una foglia o un frutto
se credo alla tua faccia di ragazzo
spettinato, se credo a tutto, a tutto,
è per avventurarmi anche il lunedí
quando le sale sono chiuse e
sembra cosí lungo il tempo
cosí abbandonate le creature del mondo.
Se credo se credo se rido alle cose
invisibili, se chiedo le cose impossibili,
se mi batto col vento, se sbando di
continuo, se mi affanno,
è il mio gioco battagliero
di indispettire quel cielo ostinato
che si nasconde dietro al nostro cielo.
Mostra solo i suoi buchi di luce
quando dormiamo.

Buttiamo via tutto il miele
mettiamo un sasso dentro la voce
e andiamo di là.

Anche questo va detto, anche
lo sfacelo dei timpani, anche la casa
rotta, anche la faccia stanca
anche la mano vecchia, anche
tutto il buio del parco quando
i giocatori ritornano a casa.

Sentivi l'intoppo del pensiero
tutte quelle sponde arginanti
che fanno lo schema.

Passate via, orchi,
ossa dure, scricchiolii, passate!

O scannamento, o unguento, o polvere
dentro le bocche, o terra nelle povere bocche,
o benedetto strano andare via, mano
dell'offesa, guancia bucata, ma Gesú
Gesú Gesú si ripete la scena della croce.

Orazione dell'ora spenta

Abbi pietà
se non sente la gioia dell'estate
ma un assordante rombo
sotto i capelli.

Pietà se crede che il pianeta
sia ritorto in un buco di piccola
stazza, un malfatto recinto
un secco grumo sputato, una tolda
increpata, un'acqua tutta stagnante,
una bestia zoppa, un orcio sfondo,
una cosa piccola che non gliela fa.

Pietà dentro la camera
d'un lamento del fiato
col sonno rovesciato sul cuscino
in gocce tossiche.

Abbi pietà. Nel suo petto
còricati che cosí dorma, metti
il tuo chicco, fa apparire la lepre
dal cespuglio
e intorno foglie che il
sole bello trapassa.

E se poi il mare bellissimo
non calma,
il sapore salato non pilota
la mente in campo aperto
e non la sfiata
se l'onda piccola se la
conchiglia d'un rosa di fenomeno

se l'onda piccola se la conchiglia
se l'ora in cui la costa
pulsa in un vibrato carico.

Dentro al suo petto allora
corica la mano che ha steso il cielo
– s'era una mano –
riplasma il lato del suo dolore
fino a una gioia che duri
e poi riposa immenso
dentro quel luogo umano
fino al duro del mondo fino
al tempo scaduto del ritorno
dentro la nascita
che non sappiamo.

Qualcosa chiedeva esistenza
nella mia ingombra anima
con la chincaglieria
del pensiero che sforbiciava
la pace della casa.

Adesso non abbaiate piú, voci
tempestate del mio cranio
ossi dell'interiore discordia.

Qui c'è un muro di spade, una fossa, un roveto
una manovra diabolica che ci tiene nel guscio
una barriere un buco troppo vuoto
c'è un posto in cui si cade sempre
in questo spazio fra i corpi.

Non schiviamo le spade
questo ti voglio dire
non avere paura di questa notte mia
che lo sappiamo è identica al tuo strazio
diamoci le ferite che dobbiamo
alziamo il tiro fino alla nuca
non tiriamoci indietro.

E tu prendimi, portami con te
come un incendio nelle tue abitudini.

Sento il tuo disordine
e lo comparo al mio. C'è
somiglianza. C'è lo stesso slabbro
di ferite identiche. C'è tutta la voglia
di un passo largo in una terra
sgombra che non troviamo.
Sento il tuo respiro schiacciato
lo sento somigliante
ti sento piano morire
come me che non controllo
l'accensione del sangue.

Anch'io cerco una libertà che mi
sbandieri, una falcata
perfetta, uno stacco d'uccello
dal suo ramo, quando si butta
improvviso e poi plana.

Voci. Vieni voci. Riassumi
il mio sangue in sillabe d'oro.
Viene un cane con voce distinta
io non conosco la lingua del cane
una caldaia risponde ma io
non conosco il suo sbuffo di fiamma
poi una porta con grido con tonfo
ma non traduco la mistica voce
di porta. Vieni! Hai passi hai porte
tu hai cani hai rombi hai voci
lontane tu hai le maree tu le lune
le voci in fondo alle scale hai
trombe hai suole di gomma che stride.
Vieni! La notte s'appoggia. Dormire.

Ai miei maestri immensi

2001-2002

«Ha tolto al frutto la buccia e i semi, per cosí dire, e poi, aprendo la bocca dell'allievo, gliel'ha fatto mangiare».

Nisargadatta

«Se l'anima scende dal suo gradino la terra muore».

AMELIA ROSSELLI

Dice adunque: «Amor che ne la mente mi ragiona; dove principalmente è da vedere chi è questo ragionatore, e che è questo loco nel quale dico esso ragionare. Amore, veramente, pigliando e sottilmente considerando, non è altra cosa che unimento spirituale de l'anima e de la cosa amata...»

DANTE, *Convivio*

– Avrei un po' di biscotti da dare agli uccellini. Credi che li possano accettare?
– Grazie di tutto quello che è limpido.
– Fai un po' di flessioni e sorridi alla maestra.

(da una improvvisazione degli attori del Teatro Valdoca)

Prendo pavimento e
spugna, faccio nitore, salamelecco
la camera nel suo rombo di cavità.
Ospito un animale carico di feti.
Tengo nel pugno una pancia
sul punto della moltiplicazione.
Fra poco deporrà i sacchetti vivi,
i suoi grumi già esperti
di respiro.

Fa' che questi gatti nascano per bene
nella salute dei risorti
e questa forte madre riconosca
il suo esercito nuovo
e se lo allatti.

Dio dei Gatti, e delle gatte in
calore, e delle partorienti languide
gatte, fai tu. Assisti questa
nostra domestica regina
nel suo dare alla luce.

Natura è fatta di voci incatenate dentro.
Venite, cari ospiti del mattino che fate di ogni giorno una festa.

Preghiera per chi so io

Movimento del mare che nel purosangue
ti fai suo respiro e sua schiuma
e che sei tu la luce della luna
e lo spintone che la trascina
e dentro me piloti cuore e polmone

movimento della popolazione
di tutti i mondi che nel giorno
di S. Stefano hai troncato la cima
a molti alberi e schiantato
il cedro nel mio giardino e
mia sorella ha avuto paura
quando la cuccia del suo cane
s'è alzata in volo

e sei tu quella luce sopra
al tavolino che brucia cosí piano
in quella forma leggera d'unghia,
di piccola piuma, vai molto delicato
con chi sai, che adesso è lontano
e forse si dispera o forse sta anche bene

ma tu che sei suo fiato
e entri ed esci da quella gola che amo
e circúiti suo sangue nella corsa di vene
fagli bene, sempre, che non stia separato
dalla tua danza rotante di cielo stellato
dal tuo guizzo di delfino festante.

Confuso stato di tutte le armate del me
disordine di questi miei fanti interiori
e ussari e cavallerizze che dentro
mi scantonano il petto
e tu torna al centro, cuore!
mio generale kutuzov che raddrizzi
le mie file sconvolte,
che il mio inquieto inquieto
stare qui diventi
il placido di tutti i giardini.
Fai bella stagione, ora.

Essere il gran visir
terrestre, il gran campione della
scorreria, ma egli era
un nessuno ne lo stridio dei suoi
pensieri, dentro la conigliera della vita
era un nessuno fra i tanti nessuno
che a lui sembravano qualcheduno.
Stai quieto, dormi. Guarda il
grande pareggio dei fratelli
che non fanno la gara.

Giorno d'aspromonte dove salgo
caricata con un peso un peso
che non si appoggia. Giorno
del mio stretto di magellano nel petto
con quel boccone che non s'inghiotte.
Giorno della testa poggiata alla mano.

Usciamo. Chiediamo che passi
tutto lo star male. A chi chiediamo?
Alla vigna che è tutta
uno scoppio di foglie nuove
al ramo dell'acacia con gli spini
all'edera e all'erba
sorelle imperatrici che sono
manto disteso e potentissimo trono.

E che cosa chiediamo?
Una piena falcata d'amore,
una giusta battaglia, aculei nella voce
narcisi e rose

essere radiosonda
del niente che trasforma
il trascendente in cose.

Ai miei maestri immensi
dentro l'eterno dell'adolescenza
datemi da mangiare
dal palmo della mano
appiccate l'incendio alla mia chioma
e siate voi lo stagno in cui si doma
tutto il mio fuoco.

per Nico a letto ammalata

Parti, vai verso l'Ararat
sali sull'Everest
vai nella trinità del mondo
senti le voci, fiamméggiati
il respiro, apri le feritoie,
sorprendi i bracconieri alle spalle
fai puntamento, fai piazza pulita
sciogli le redini dei trottatori
passa i palmizi, traversa i chiostri
e le pagode, salta le sponde
ancora un tuffo
poi dí la formula
«cancelletto chiuditi»
e sei a casa.

Bene. Preghiamo.
Preziosissimo sangue della mia piú alta stella
non sono ferita ancora, non sono malata,
credetelo
malgrado ciò sono assai malmessa
nel mio sgabellino centrale interiore
dove risiedo abitualmente.
Un poco del rancido del mondo
fu estratto e buttato.
Ho emesso parti di me
ho accolto e accolto
ho inseminato
ho dato fettine di pane
ho fatto scudo contro puntatori tremendi
ho intercettato e falciato.
Ho ben fatto. Penso.
Vi sono qui pachidermi che mi spingono
dentro una resa.
Non voglio questa resa.
Deragliatemi da questo basso destino.
La mia vita avariata ve la ributto sulla magica mano.
Rilanciate il mio fuoco.
Sia cosí.

Preghiamo.
Ancora.
Ancora e ancora.
Sí.
Chi preghiamo.
Non so.
Non importa.
Qualcuno che ascolta c'è sempre.
Qualcuno che prende su e sistema.
Fiutate questa mia preghiera e arrotatela fino al suo taglio.
Arrotate anche me. Cari emissari d'ogni guarigione.
Cari esattori celesti. Abbiamo già pagato tanto.
E non siamo migliori. Punto.
Fateci migliori. Punto.
In questo cantoncino di terra
non abbiamo difensori.
In questo centrino smagliato che orbita
non ci sono piloti.
Le barre di comando sono scassate.
Hanno ruggine e fango.
Dove siete? Avete voce?
Intercettateci ancora.

Vieni. Togli il mal seme d'Adamo dallo scalino
basso, e dagli colore, calore, chicchi,
parole, salute mentale, silenzi di
grandi pianure, dagli voce.
Che non inutilmente
traversi la magica china dei vivi
ma lasci orme ben fatte per i suoi
bambini. Vieni.

Chiedo la forza del tirarsi indietro
la forza d'ogni rinunciante, la forza
d'ogni digiunante e vegliante
la forza somma del non fare
del non dire del non avere del non sapere.
La forza del non, è quella che chiedo.
Non non non: che parola splendida
questo non.

Le case degli uomini fra i campi
stanno militarmente e spadroneggiano
ogni animale. Da lí esce l'indiavolata
mano che strapperà le spighe,
la lama che finisce il maiale.
Tu guarda questa terra
come si guarda la mamma che dorme.
Abbi ogni cura quando la senti
uscire dalle gole con voce di civetta.
Impara a udire quel suo grazie.

Acqua rotta

S. Mamante, mese d'agosto 2003

Quel tuo nome che non sappiamo
cantare per intero
tu che spingi le cose fino alla fessura
di questo mondo e le corredi
d'ombra e di mistero.
Niente tu sei. Il piú bel
niente in attesa che il respiro
si faccia orma terrestre,
segno, piega, spigolo e lato
e forma. Attesa e segno.

3 agosto.

Attesa di quelle cavalle
con briglie ornate e saluto voi
mie regine spaziali musicali
mie netturbine che fate il bianco
e il vuoto. Parole – dell'italiano.
Salute a voi che adesso tornate
vicine. Ballate sempre.
Vi tengo a manciate qui sul tavolino.
Nel cuore. Sul letto. Sotto. Nel lavandino.
Vi tengo. Vi infilo. Annodo
collane. Felice. Oggi.

14 agosto.

La sfacciata polvere, il vile polverone,
fanno feste da quattro soldi ai lati
delle strade. Alzano inni nebbiosi intorno
alle cose e qui di fianco
inghiottono cinghie e suola
alzano turpi balletti di false nuvole. Spadroneggiano.
Vieni. Bambina delle trasparenze pioggia,
con tutte le gocce vieni, tocca ogni
centimetro, zittisci l'estate superba che s'è fatta
gomiti potenti.

Casta e potente vieni!
Per la vigna in ginocchio. Vieni
per la gioia del sangue che trema
lontano da te. Bambina tempestata acqua vieni.
Gentilmente vieni.

15 agosto.

Agosto è il mese piú violento.
Schiaffeggia, tira
calci d'arsura, stritola il canto
con un silenzio disteso e soffoca
la tessitura dell'umido
ha colpi di spada di fuoco – ha cento
martelli e cicale diaboliche
che fingono un canto di ferro
che fingono un ballo di ali
e non hanno mai sete mai sete.
Agosto con trappole accende i suoi fuochi
imperiali. Potente secco signore.

Attraverso l'aia.
Dico al buio parole amichevoli.
Aguzzo le sonde – non mani servono
fra questi bastioni d'ombre
densità di vita sotto altra legge.
Io tento piano la sillabazione
di questo spavento
che forte mi chiama.

17 agosto.

Tu non vieni
con tuoi barattoli d'acqua tuoi bagnati
fustagni e lamiere battenti.
Ci sono lastroni spaccati di sete e carene rotte
coppe vuote da tempo, fiorai con secche forbici
e ruggine e rane sfinite d'attesa
di te e mucchi di panni sporchi in questo
mio cuore, pedoni con secchielli vuoti
sterpi giallissimi, spini.

Se tu non vieni. Se tu non vieni

19 agosto.

a Cesare

Non sono capace, amore, di farti un canto.
Tu sei tutto di spine e di fuoco
e mi tieni lontana dal tuo cuore
pericoloso. Io non so bastarti alla gioia
e cosí poco cosí poco mi pare
t'incanto, sollevo quell'ombra scontrosa
che tu sei tutto d'amaro e furore
tu sei in urto e sperdimento
mio velocista, mio primatista del cuore
mio barbarico ragazzo di vento
mio torrente furioso
arrivi alla mia acqua quieta
con onde e sonagli e pepite d'oro.
Vecchio fiume saremo un bel giorno io e te,
io acqua e tu moto, io sponda e tu vento,
io piogga e tu lampo,
io pesce e tu guizzo d'argento
io luna riflessa, tu cielo tu spada
d'Orione, tu tutto l'amore umano
che tento che tento
d'amarti per bene
mio grembo splendenza.

Vi guardo ogni giorno.
Misuro i centimetri del secco. Ah!
La vostra chioma tutta chiusa in quella
preghiera d'un verde cupo. La vostra
pacifica punta che indica il cielo.
Un triste merletto la attacca, mangiucchia
il colore, intossica l'aroma leggero
con polveri dure. Vi ricaccia indietro.
Rallenta il tremore circolatorio delle linfe.
La vostra salute io chiedo
all'araldo appostato che mai non si vede
nel suo anonimato d'ascolto.
Che faccia passi nelle piú alte sfere
e vi salvi, creature spossate.

21 agosto.

Guardo questo cuore incartocciato.
Abbi pietà di tutto il mio secco.
Vieni pioggia. Hai in pugno
tutte le vite, tu.

Spargiti piccola esca di luce, abbocchiamo
ai tuoi ami d'oro e siamo contenti.
Viene una catena vile che ci fa piccoli
domani il sangue sarà una pozza sotto la
terra. Fermo dentro le vene, guastato, sarà
guastato il sangue, ributtato nel gioco
delle sostanze.

24 agosto.

Cambio le belle lenzuola di bianco
tiro per bene, nessun increspo né piega
nessun millimetro pendente fuori dalla
armonica stesura del bene. Qui dorme
lei, qui lui. Si vede non so da cosa.
Qui lei e lui si scambiano segni evoluti
della specie, accostano forma a forma
mettono tutti i respiri in un posto, insieme,
setacciano il mondo nella camera buia
e l'ultimo che s'addormenta sente l'altro
andare lontano, nel suo respiro di lottatore
che ha mollato la presa.

Gli altri sono troppi, per me.
Ho un cuore eremita. Sono
impastata di silenzio e di vento.
Sono antica.
Mi pento ogni volta che vado
lontano dal mio stare lento
nelle velocità della sera, nelle auto schizzate
di pianto. Col loro buio abitacolo.
E se sfreccio a volte
sulla modesta moto, è per cantare
a gola stesa l'ultimo del paradiso
fare il mio guizzo pericoloso
con tutto quel vento nel petto
seminare parole beate
nel panorama nervoso.

Adesso il cuore è stretto da una mano secca e forte.
Adesso sto con una morte dentro.
Ho cent'anni adesso.

26 agosto.

Sei aurora o sei fame? Sei letto o sei infamia?
Sei preghiera o gomma appicicata? Sei funesto
o sei preghiera? Sei per bene o invece
un urto fra quelle tue gambe violente?
Non ho non ho motivo d'attesa.
Non ingigantisco davanti al cuore. Non batto
la corda sul tegame. Non smetto di crescere.
Non intingo il biscotto
nel losco affare. Non governo il tremito
della paura. Non mi scompongo. Non
intingo. Come te lo debbo dire? Non dò di
morso al pane. Non mi sistemo. Non amo altro
che questo non. Smetti di disturbare questa
riverenza.

27 agosto.

Sto nello sfregio della notte.
Senza intesa. Senza accollarmi il fagotto e
salvarlo. Oggi non salvo. Sono io la bufera
che rovina. Sono la spina, il buco, l'inciampo.
Sono io l'innesto sbagliato che darà un frutticino
sgorbio. Sono il relitto il rifiuto, la cosa rotta
l'urlo incenerito, la cappa che fa fumo. Sono io.

Cosa capisco io, da qui? Capisco cosa di questo
cosa capisco di questo vuoto?
C'è tempo. C'è risposta che viene. Pazienta.
C'è risposta e c'è sollevazione. C'è tempo.
C'è risposta. C'è che fra poco viene e
sguscia questo destino, lo monda per bene.
Inchínati. Stai tutta silenziosa. Cedi
quella tua forza indomata. Stai zitta. Quieta.
Stai a cuccia, cane! Topo! Vespa! Serpe! Poca
cosa di questo mondo creato! Pazienta. Adesso.
Tieniti quel male al petto. Crepa. Scuoti.
Rompi l'ormeggio senza indugio, ora. Spacca.
Con accetta. Con mazza. Con spada. Con
forbice affilata. Con falce, con mazzetto.
Con tutto ciò angoloso. Spacca. Getta. Costeggia.
Poi prendi mare aperto. C'è guerra dentro
te. Scarica al largo la tua zavorra.
Il mare prende e ingoia.
Sceglie poco o niente il mare. Tutto lo manda giú.

Stato di ribellione. Fango. Ronda che scopre
il fuggiasco e lo incatena. Lo picchia malamente.
Sono io. Mi fanno a pezzi. Lo sento.
Ho detto: vieni libertà sono pronta.
E mi assale una frusta. Uno scoppio.

Vado dentro un delirio. Mi prende.
Mi arrendo. Voglio sapere tutto. Svengo.
Io sono morendo sono scrostando scrostando.
Sono morendo morendo. Mi spezzo.
Sono tutta fango. Poi rinasco fiore. Lasciatemi
in pace. Lasciatemi la pace per dopo.
Quando torno se torno. Adesso vado via.
Dove non si vede. Scivolo giú. Costeggio
un gran vuoto. Adesso rinasco. Butto
questa greppia, le vecchie parole, passo per
una muffa micidiale, per i vortici delle
attese, in quello scomparire ci passo.
Non resto. Mi assento.

Al tempo. Nelle sue maglie stinte
esisti veramente? Chiedevo. Cosa vuoi mai,
risponde, sono diventato vero a forza di
menzogne e spinte e orologi che mi battevano.
Solo al presente non mento, ma tutto il resto
è covo di parole mucchio di foglie secche
collezione di niente ammucchiata sul fondo
a fare peso. Solo al presente so parlare d'amore.

28 agosto.

A scrivere si fa cosí: si dorme un pochino
si resta in attesa con mani perfette vuote.

30 agosto.

Questo stare bene. È cosí stare bene.
Stare molto bene è cosí come ora.

Ma se non sto piú
attenta se non tento di stare
nel presente tutta dentro
finirò vecchiamente con occhio
spento e la gioia che sento diventerà
marrone sulla testa e sarò morta
nel camposanto fra gli altri morti
dell'indifferenza.

Accadueo.
Vieni cara scienziata moltiplicata
sorella del vento e del rospo vieni.
Ci sono gramaglie d'un estate feroce
che ha fatto a pezzi il respiro nel bosco
e qui nella casa. Quante bastonate ci
ha dato l'agosto! Eravamo giocondi una volta d'estate
e adesso precipitiamo in un caldo d'ordine
superiore, angelo sterminatore che sentiamo
la notte portarsi via i vecchi.
Vieni ossicino santo, pioggia con bellissime gocce
quanto, quanto t'invoco! Io.

Una volta nel mondo pioveva, ogni tanto.
Cadevano gocce dal cielo, tante,
velocemente, diritte come fili di vetro,
a volte per obliquo, a volte piú fitte piú rade.
Allora dicevamo che pioveva e ci pareva
senza significato. Si prendeva l'ombrello
si usciva controvoglia. Si tornava
con piede bagnato o spalla.
Cadevano gocce dal cielo ed era quello
il modo di dar da bere a tutto,
di rimboccare il pozzo, crescere l'animale,
mettere il verde alle foglie, e lucidare
il prato, azionare la ronda del fiume
tenere a mollo il bambino nel ventre incantato
della sua mamma, poi gonfiare le tette di latte,
il frutto farlo tondo. E si dormiva in pace
nel ticchettio grandioso del tetto con il cielo
anche quello senza significato per noi
ch'eravamo di pietra.

Uscire dalla casa
coi suoi muri, dare la corsa agli occhi.

Io pativo per i miei cinque sensi
che non mi bastavano.

So dare ferite perfette

2003 - 2004

Vorrebbe dire quelle parole
sentire quella felicità
quella patria delle dolcezze.

Fare giorno per via di parole d'oro.

Ma c'è correre, c'è moto confuso,
c'è patimento di stami rotti, antenne
che ricevono male, guaiti dentro
il petto, rintocchi di pena.

Smettere la corsa.
Restare dove si cade, unire le mani
non fingere piú.

Guida tu, voce.

La mano si impiglia al lavoro.
Le ore scappano come sorellastre
cattive. Il vino fa finta
di darti una mano – finge
anche il fumo. Tutto aspetta te.
La levata, la levatrice, la
partoriente ragazza.
Tutto aspetta dalla tua
mano unione, senso,
scancellazione. Fare pazienza,
fabbricarla la pazienza in piccoli
pezzi, fabbricare l'antidoto all'ira,
la gentilezza delle mani e
del labbro. Il passe-partout
per le sette bellezze.

«E non sapendo ero certo
Del misterioso concerto»
CLEMENTE REBORA

C'è una pace grandiosa
al centro del campo e il verde
dell'erba promette
«quello che dirai adesso
sarà vero per sempre».
Allora dice parole identiche
al verde,
poi canta il nome della terra, e sente
che tutto sprigiona e combacia.

Tutto
fino al seme che trotta la vita
dal sacchetto alla chioma
fino al seme che pare niente
e invece sogna.
Fino al seme al seme
che forte silenzioso promette.

Nel mese di marzo tutti i semi
tornano dalla mamma a bere
e la promessa fatta nel cadere
tesse piano la forma del nome.

Venerdí santo

Scassinerà la morte, quella
fortezza buia, sposterà il pietrone ridendo
cucirà le ferite senza ago solo andando
in un punto del respiro, vincerà
sulla materia e per questo poi salirà
senza peso. Vincerà la gravità
la consistenza l'odore il nome,
risorgerà non piú creato ma creatore, saprà
la formula il contatto fra ovulo e sperma fra
spora e tronco e seme e terra. Saprà
il principio d'ogni cosa la durata
saprà l'eterno il paradiso di Dante
l'avrà a memoria ogni verso e
anche le parole scritte ora
lui le avrà già sapute quella volta
lí nel sepolcro al fresco dove
la morte è uno stecco un niente
un avanzo un imbroglio e il resto
tutto il resto vita solo vita
solo luce e vita niente altro.

«Giuro per i miei denti di latte» giuro per il
correre e per il sudare giuro per l'acqua e
per la sete giuro per tutti per i baci d'amore
giuro per quando si parla piano la notte
giuro per quando si ride forte giuro per la parola no
e giuro per la parola mai e per l'ebrezza
giuro, per la contentezza lo giuro.

Giuro che io salverò la delicatezza mia
la delicatezza del poco e del niente
del poco poco, salverò il poco e il niente
il colore sfumato, l'ombra piccola
l'impercettibile che viene alla luce
il seme dentro il seme, il niente dentro
quel seme. Perché da quel niente
nasce ogni frutto. Da quel niente
tutto viene.

Quella città che non veniva mai a patti con la sua
caporetto
insanguinata era dentro me, non in qualche panorama
di fuori era tutta nel reame di dentro con ispezioni
feroci e rigori di punizione e talloncini e genio civile
impuntato sulle mie deboli basi.

Io volevo essere arcipelago tutto identico alla luce
tutto in onda continua di luce.
E niente scadenze e
tapparelle rotte niente raduni né sposalizi niente
serrature né scorpacciate o eremiti sterili
patriarchi o sedie.

Come ero stanca, allora! tentavo un ex equo coi migliori
mi perdevo in combattimenti di casta, perdevo tutte
le pedine. La notte piangevo un sonno con pleure rotte
con sangue.

Nessun Messo con sua verghetta veniva
a fare il repulisti e aprire tutto il mio nero
fino al fermaglio, fino a lucifero peloso che m'aggrappo
e scappo, faccio cordata fino al presepe.

Cosí nella scogliera ero tronco o ramo bastonato forte
braccato da ogni onda sbattevo fino alle gengive rotte.

Ma poi il mio Gange mi ristorava
con primo premio di luce
e premi tutti i giorni e molte parole
del paradiso mi venivano incontro.

Popolate dicevano tutto questo deserto del cuore
con giravolte di gioia. Gioia dicevano era la prima
legge del mondo. Sempre gioia dicevano. Con gioia
lo dicevano. Imparavo allora la mano aperta e l'attesa.
Mi allenavo come l'abete.

Imparavo la scucitura, dalle porte la spalancatura,
dal remo imparavo il corpo a corpo e la spinta, dal pilone
sopportazione, dalla botola la custodia, dallo spino
concentrazione e attacco, dalla neve nitore e scomparsa,
dalla rondine il riso nella corsa, e poi dal
fiore il furore, furore dall'edera e dall'erba, dalla
candela imparavo il silenzio, dal silenzio la luce
ed ero a casa.

Verso questo essere vivi qualcosa
è contro vedi. Portare la voce
lontano. Non conta
quel che hai messo da parte.
Togliere tutto il passato.

Ognuno in lotta con sé stesso
vinca e deponga.

Partorire bambini
che nascono sempre.

Portare il respiro
come un bene immenso.

Ultimi essere
gli ultimi nati, sempre nati appena.

Figlio piccolo essere
che rallegra la casa perché ride.

Essere quello che ride.

Che cosa è diventato
in questo scenario storto del mondo
come è cresciuto attaccato al suo nome
che cosa ha creduto davvero
facendosi grande e lontano?

Ora interrompe la lotta,
il corpo a corpo col mondo
ride nel fondo,
perde tutto, sbiadisce
resta vittorioso nel grande vuoto
vittoria del poco e del niente
quello chiede. Gentile gentile.

Fa che il suo fondo sia luce.

Una confraternita cercavo
per tutti quei roghi che spiccano
dentro me dolorosi
e tutte le tarantole che mi riempiono
il petto.

Una confraternita di ballerini savi
che stando io cosí come
tutta randellata in ogni mia
parte, stando io secca e sassosa
nel mio dormitorio pauroso

stando poco adattata
e non frequentando
saloni in similoro ma piuttosto
furgoncini mogi mogi e poco funzionanti

ecco sí, una confraternita
con un forte ago per le
cuciture di questa mia schiena
squadernata che mi esce l'anima oggi
lasciando me zampettare senza
un valido scontrino d'amore

che quando sto senza
erbacce nel cuore sto come premiata
tutta contenta e senza cornate nel petto
o bidonate del solito pilato che
torna con mani lavate, quando
la mia testa poggia
diretta nel cielo fissa alla polare splendente

e non come ora che un mago guastatore
ha fatto brioches di quel mio fiume d'oro.

E come ridevo, ve lo ricordate come ridevo?
Prima ero una forte cosacca, una ballerina vera
e non me lo spiego il passato remoto
del bene e del bello.

Una confraternita buona, senza bagarinaggio
e dure bastonate, con focacce e
matite colorate
e una parola per sempre
convalidata e sicura

che ogni mezzacartuccia di questo
mondo faccia la definitiva trasferta
e un granparadiso io voglio nel cuore
e fuori del cuore.

Adesso nella mangiatoia c'è bomba
c'è sparo c'è separazione –
uno qua uno là i fratelli
bellissimi si spaccano tutti
saltano per l'aria, fanno figurine rotte,
lumicelli. Si spicchetta la nazione, si accerchia,
si ara una terra marrone e sangue.

Quasi rompono la mangiatoia
fanno ghiaccio toccando il cuore
con quel loro grilletto fanno
ghiaccio dove c'era il sole.

E la sacra famiglia nanerottola
il suo latte di Madonnella striminzita,
lí sull'asfalto,
prende quel ciuco e poi
vuole scappare dal nuovo Erode,
da quella squadra di guastatori.

La Madonnella tira una pietra,
una la tira il buon Gesú,
la Maddalenina salta per aria
nel supermercato, al centro della luce.
E come piange Giuseppe col bue azzoppato.

E noi. Dove moriremo? Mettetevi tutti giú
che è ora. Morite piano. Non sporcate.

Ti celebro, mondo, mio sputo orbitante
ti sento dolcemente piccolo
ti sento ben fatto. Ti sento che mi senti
ti sento mio corpo espanso
ti sento che hai cuore di brace
sotto le scogliere, nel fondo
dei pozzi artesiani le tue tarantelle
di lava. Con fuoco al galoppo.
E hai pulpiti di ghiaccio sulle cime
e praterie oscillanti e pariglie di onde
e dune lente lente. Ma sí!
Lasciati dire, mondo!
Sento che hai voglia di lasciarti dire.

Resta. Si inchina. Propone
che la si aiuti, nel senso dell'infinito.
Domate tutto il selvatico. Che resti l'animale
quando è nuovo. Animale
grazioso e benigno. Quello è – siamo.

ad A. O.

È mancato il rispetto del poco e del niente
del poco poco.
È mancato il rispetto di ciò che è lento e sfumato,
finché un giorno, finché dopo
c'è stato un duro crescente del cuore.

È mancato e io non so perché è mancato,
ma di certo è mancato, il rispetto del bambino
e dell'antenato,
e il bambino è rotto, l'antenato è pazzo, il bambino
è spento, l'antenato è legato in un letto,
il bambino è un povero ometto, l'antenato uno sciocco.

«Tu, Dio, mi hai perduto –
cercami finché posso
ancora essere trovato».

Gande scontroso Dio
che non siedi mai
alle tavole apparecchiate.

Scontroso che adesso mi hai
perduto.

Tu maestro del silenzio piú duro
questa batosta di silenzio
bisogna reggerla senza indurire.

Senza indurire sto lontano da te.

La candela dice:
        io mi consumo senza lamentele
che pena, quel tuo chiedere durata

la pianura dice:
        io accolgo, accolgo largamente

e l'ago dice:
        perdermi mi piace, stare
dimenticato nelle fessure, essere
                ignorato. E tu?

e il coltello dice
        io taglio i ponti
divido un pezzo dall'intero
        so dare ferite perfette.
                        E tu.

a Iole

Che cosa sono i fiori?
non senti in loro come una vittoria?
la forza di chi torna
da un altro mondo e canta
la visione. L'aver visto qualcosa
che trasforma
per vicinanza, per adesione a una legge
che si impara cantando, si impara profumando.

Che cosa sono i fiori se non qualcosa d'amore
che da sotto la terra viene
fino alla mia mano
a fare la festa generosa.

Che cosa sono se non
leggere ombre a dire
che la bellezza non si incatena
ma viene gratis e poi scema, sfuma
e poi ritorna quando le pare.

Chi li ha pensati i fiori,
prima, prima dei fiori.

Indice

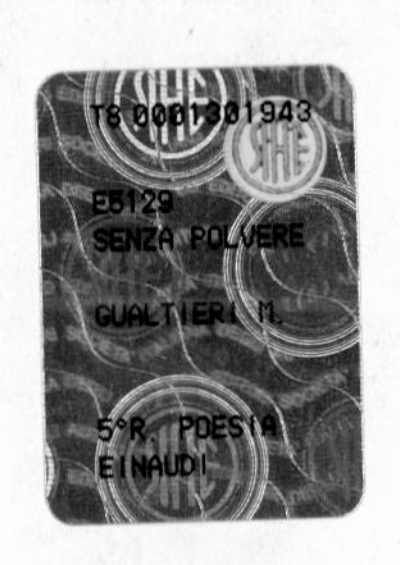

Stampato per conto della Casa editrice Einaudi
presso Mondadori Printing S.p.a., Stabilimento N.S.M., Cles (Trento)

C.L. 16840

Ristampa							Anno			
5	6	7	8	9	10		2010	2011	2012	2013